16 JUILLET 1862, FORT BENT.

JE N'IMAGINAIS PAS QUE TE QUITTER SERAIT SI DIFFICILE...

ON NE SE QUITTE PAS EMILY. NOUS NE SERONS JAMAIS VRAIMENT SÉPARÉS.

FORT BENT

31 AOÛT 1862, DANS LA VALLÉE DE LA PLATTE.

CHAQUE JOUR NOUS TROUVE, NON PAS NEUFS, MAIS COMME UNE HISTOIRE À SUIVRE.

JUMPIN' JEHOSAPHAT !!

AUJOURD'HUI NOUS PREND TELS QU'HIER NOUS A LAISSÉS,

LUNE D'AUTOMNE..

LE 1er
SEPTEMBRE
1862

" SAN JUAN BAUTISTA,
LE 20 JUIN 1862.
MONSIEUR.
VOTRE HACIENDA, SI JE
PUIS ME PERMETTRE D'UTILISER
UN TERME ESPAGNOL EST
TOUJOURS PROSPÈRE DIEU
MERCI! ET LA TEMPÉRATURE
CLÉMENTE. LA GUERRE NE
PROVOQUE PLUS DE GRANDS
REMOUS EN CALIFORNIE, ET
L'ISOLEMENT OÙ JE SUIS.
SAUVEGARDE MA VERTU
MIEUX QUE NE LE FERAIENT
TOUTES LES DUÈGNES
DE CASTILLE RÉUNIES.
IL VOUS SERA PEUT-
ÊTRE AGRÉABLE D'AP-
PRENDRE, QUE RÉDUITE À
LA COMPAGNIE DE DOÑA
INÈS ET DU PÈRE GABRIEL,
J'EN VIENS À REGRETTER
VOTRE PRÉSENCE... "

"... PUISQUE VOUS ME FAITES LA GRÂCE DE ME
CONSULTER, JE NE SOUHAITE PAS QUE VOUS
REVENIEZ PAR BATEAU, CE SERAIT TROP LONG,
VOUS POUVEZ FAIRE CE QUE BON VOUS SEM-
BLERA DE LA PIÈCE DE SOIE. JE VOUS AVAIS
PRÉCISÉ QUE JE VOULAIS UN ROUGE PONCEAU.
L'ÉCARLATE ME FAIT LE TEINT LIVIDE ET JE
N'EN VEUX PAS. J'ESPÈRE QUE VOTRE
SURPRISE SERA MOINS DÉCEVANTE. JE TER-
MINE ICI, FAUTE DE NOUVELLES. TÂCHEZ
DE NE PAS ÉPUISER MON CHEVAL.
VOTRE ÉPOUSE DEVANT UN DIEU
DE JOUR EN JOUR PLUS DÉTESTABLE,

Violante "

AU FIL DU TEMPS, CHAQUE JOUR RACONTE AU LENDEMAIN DES VÉRITÉS SUR
NOUS-MÊMES, EXPOSANT LA SORTE D'ÊTRE QU'IL LUI REVIENT DE TRANSMETTRE,

ET QUE LE SUIVANT RENDRA MEILLEUR, OU PIRE... À NOUS D'EN DÉCIDER.
F.J.W. WARE

SCÉNARIO : LAURENCE HARLÉ   DESSINS : MICHEL BLANC-DUMONT

CARTLAND
LES REPÈRES DU DIABLE

COULEURS : CLAUDINE BLANC-DUMONT

DARGAUD
E D I T E U R

PARIS·BARCELONE·BRUXELLES·LAUSANNE·LONDRES·NEW YORK·STUTTGART

LE 30 JUIN 1863...

"SAN JUAN BAUTISTA."

BONJOUR GRAND-PÈRE ; POURRIEZ-VOUS M'INDIQUER LE CHEMIN DE L'HACIENDA MORALÈS ?

♫ AL-TI-SSIMU OMNIPOTENTE BON SIGNO-O-O-RE, TUE SON LE LAU-DE, LA GLORIA, E L'ONO-O-O-RE ♫

7

QUAND NOTRE SEIGNEUR A DIT : "LAISSEZ VENIR À MOI LES PETITS ENFANTS" IL N'A PAS EXIGÉ QUE CELA SE FASSE DANS L'ORDRE, N'EST-CE PAS ? TOUTES CES PETITES ÂMES VIENNENT DE BANDES AUX MOEURS TELLEMENT DIFFÉRENTES !

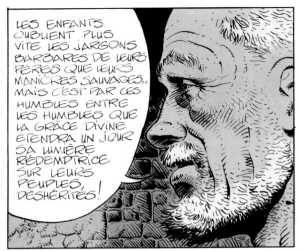

LES ENFANTS OUBLIENT PLUS VITE LES JARGONS BARBARES DE LEURS PÈRES QUE LEURS MANIÈRES SAUVAGES, MAIS C'EST PAR CES HUMBLES ENTRE LES HUMBLES QUE LA GRÂCE DIVINE ÉTENDRA UN JOUR SA LUMIÈRE RÉDEMPTRICE SUR LEURS PEUPLES, DÉSHÉRITÉS !

EN QUOI PUIS-JE VOUS ÊTRE UTILE, MON FILS ?

JE DOIS VOIR DOÑA MORALÈS, PADRE.

AH... PUIS-JE SAVOIR QUI VOUS ÊTES ?

JE M'APPELLE CARTLAND. JONATHAN CARTLAND.

COMMENT, LE HÉROS DE SILVER CAÑON ? C'EST EXTRAORDINAIRE ?

VOUS PARTAGEREZ BIEN LE MODESTE REPAS DU PÈRE GABRIEL ? QUELLE RENCONTRE EXTRAORDINAIRE, EN VÉRITÉ !

?

L'ÉVÊQUE FILLMORE VOUS EST PARTICULIÈREMENT RECONNAISSANT D'AVOIR SAUVÉ SA COUSINE EMILY.

ROSA, DEUX COUVERTS !

J'AI LAISSÉ MON CHEVAL ET MA MULE...

OCCUPE-TOI D'ABORD DES BÊTES QUI SONT SUR LE DEVANT

CALVIN FILLMORE A LA CHARGE DE L'ÉPISCOPAT MÉTHODISTE DE SAN FRANCISCO. NOUS SOMMES RIVAUX AU SERVICE DU SEIGNEUR, MAIS NÉANMOINS AMIS.

J'OSE ESPÉRER QUE VOUS ÊTES MEILLEUR CATHOLIQUE QUE LUI !

JE VOUS DEMANDE PARDON D'AVANCE, PADRE, MAIS TOUTES VOS ÉGLISES ACCEPTENT QUE L'ON DÉTOURNE CHAQUE JOUR "TU NE TUERAS POINT" EN Y AJOUTANT : "SAUF..."

"..SAUF L'ENNEMI DE LA FOI QUE DÉNONCE LE PRÊTRE. SAUF LE REBELLE À L'ORDRE QUE DÉSIGNE L'OFFICIER. SAUF LE TRAÎTRE À LA LIBERTÉ QUE CONDAMNE LE GOUVERNEMENT..."

QUELLE ÉCRASANTE SUPÉRIORITÉ NOUS AVONS SUR LES SAUVAGES... NOUS AU MOINS, NOUS FAISONS DU SACRIFICE RITUEL À GRANDE ÉCHELLE !

JE VOIS, VOUS ÊTES MENNONITE, OU QUAKER PEUT-ÊTRE...

NON. JE SUIS JUSTE PERPLEXE, ET DÉSOLÉ.

NOUS NOUS RENDRONS ENSEMBLE À L'HACIENDA APRÈS LE DÉJEUNER.

VOUS APPORTEZ DE MAUVAISES NOUVELLES, N'EST-CE PAS ? DON MANUEL MORALÈS..

J'ESPÉRAIS QUE LES AUTORITÉS DE LARAMIE VOUS AVAIENT PRÉVENU.

7

IL PARAÎT QUE LES TROUPES REBELLES ENVAHISSENT LA PENNSYLVANIE... OH, CETTE GUERRE FRATRICIDE EST ATROCE!

EST-CE QUE L'ÉVÊQUE A DES NOUVELLES DE SA COUSINE, PADRE?

EMILY S'EST ENGAGÉE DANS LE CORPS DES INFIRMIÈRES. AUX YEUX DE LA BONNE SOCIÉTÉ DE BOSTON, SON COURAGE ET SON DÉVOUEMENT ONT RACHETÉ SA FAUTE DEPUIS LONGTEMPS... POURTANT, LE PARDON DES HOMMES EST SOUVENT PLUS DIFFICILE À OBTENIR QUE CELUI DU SEIGNEUR!

ET SA FILLE?

AH, LA VIVACITÉ ET LA CANDEUR DE KATHRYN SÉDUISENT TOUT LE MONDE, C'EST UN VRAI SOLEIL, CETTE ENFANT!

MAINTENANT, QUEL PEUT ÊTRE L'AVENIR D'UNE PETITE MÉTISSE, MÊME RICHE COMME ELLE LE SERA UN JOUR? DIEU SEUL LE SAIT...

BONJOUR LUPE. DOÑA VIOLANTE EST-ELLE CHEZ ELLE?

8

OH PADRE! VOUS SAVEZ BIEN QUE LA MAÎTRESSE EST TOUJOURS LÀ POUR VOUS!

QUEL ENDROIT MERVEILLEUX...

DOÑA VIOLANTE FERAIT VENIR DES PLANTES DE CHINE SI ELLE POUVAIT.

MA NIÈCE, NOUS AVONS DE LA VISITE.

BONJOUR LES ENFANTS, VOICI JONATHAN CARTLAND. INUTILE D'EN DIRE DAVANTAGE, N'EST-CE PAS?

LE PREUX DÉFENSEUR DE LA VEUVE ET DE L'ORPHELINE?

11

J'AI RAMENÉ SON CHEVAL ET RAPPORTÉ LES EFFETS QUE J'AI TROUVÉS...

JE SUIS VRAIMENT DÉSOLÉ MADAME. REGARDEZ...

EN DEHORS DE FALL MOON, JE SUIS CERTAINE QUE RIEN DE TOUT CELA N'APPARTIENT À MON MARI.

VOTRE PORTRAIT MA FILLE, JAMAIS IL NE S'EN SERAIT SÉPARÉ!

MANUEL AURA CONFIÉ TOUT CELA À QUELQU'UN AVANT DE PRENDRE LE BATEAU POUR SAN FRANCISCO. AVEC CETTE GUERRE, ON NE SAIT JAMAIS CE QUI PEUT ARRIVER...

TENEZ! EN VOICI LA PREUVE!!

...CHARLES BAUDELAIRE, "LES FLEURS DU MAL"... OH, MON DIEU!

VOUS VOYEZ BIEN QU'IL NE PEUT S'AGIR DE LUI. MON ÉPOUX NE POSSÈDE AUCUN LIVRE MIS À L'INDEX!!

(11)

...ET CECI NE ME CONCERNE EN RIEN !

POURQUOI DÉTRUIRE CETTE LETTRE, MON ENFANT ? ELLE NOUS AURAIT PERMIS D'IDENTIFIER LE MESSAGER !

JE NE LIS JAMAIS LE COURRIER QUI NE M'EST PAS DESTINÉ !

PADRE GABRIEL, J'EXIGE UNE ENQUÊTE, IL FAUT PRÉVENIR LE SHERIFF AU PLUS TÔT. EN ATTENDANT, MONSIEUR CARTLAND DEMEURERA ICI.

MAIS ENFIN MADAME...

VOTRE DÉFUNT N'EST PAS MON ÉPOUX ! S'IL S'AGISSAIT DE LUI, VOUS AURIEZ TROUVÉ LE CADEAU QU'IL ME DESTINAIT, UN BIJOU DE VALEUR QU'IL N'AURAIT CONFIÉ À PERSONNE. *

PADRE, NE PERDEZ PAS DE TEMPS. DOÑA INES VOUS RACCOMPAGNE.

LUPE ? FAIS PRÉPARER LA CHAMBRE BLEUE POUR NOTRE INVITÉ !

PRENEZ PATIENCE MON FILS, CE NE SERA PAS BIEN LONG. DEUX JOURS, TROIS AU PLUS.

⑬

* LIRE : "LES SURVIVANTS DE L'OMBRE"

15

LUPE, DEUX CHEVAUX FRAIS !!!

ENFIN MADAME, ME DIREZ-VOUS ...

JE VOUS EN SUPPLIE, NE ME DÉSAVOUEZ PAS ! JE VOUS EXPLIQUERAI PLUS TARD ...

UN ENNUI, MAÎTRESSE ?

AU CONTRAIRE LUIS, J'AI D'EXCELLENTES NOUVELLES.

DES NOUVELLES DE DON MANUEL !!! ...

LE SEÑOR CARTLAND, QUE VOICI, L'A RENCONTRÉ À WASHINGTON, OÙ IL NÉGOCIAIT UN MARCHÉ AVEC L'ARMÉE. MON ÉPOUX LUI A CONFIÉ FALL MOON AVANT DE PRENDRE LE BATEAU. IL SERA DE RETOUR AVANT PEU.

LE SEÑOR CARTLAND VA DEMEURER AVEC NOUS JUSQU'À SON ARRIVÉE.

?

MERCI DE NOUS AVOIR PRÉVENUS AUSSITÔT, MAÎTRESSE !

16

LA NOUVELLE DE MON VEUVAGE, SI ELLE ÉTAIT CONNUE, ME FERAIT COURIR UN DANGER MORTEL...

QUI VOUS MENACE ?

MAIS JE NE SAIS PAS, VOUS N'AVEZ PAS LU CES LETTRES N'EST-CE PAS ?

JUSTE LA VÔTRE, IL FALLAIT BIEN VOUS IDENTIFIER. POURQUOI NE PAS VOUS ADRESSER AU SHERIFF ?

IMPOSSIBLE, MON HONNEUR EST EN JEU, ET LA PERSONNE QUI M'EN VEUT SAIT TOUJOURS TOUT CE QUI SE PASSE À L'HACIENDA !

JE NE SOUHAITE RIEN DE PLUS QUE LA PROTECTION DE VOTRE PRÉSENCE. EST-CE TROP DEMANDER ? ME FAUDRA-T-IL SUPPLIER L'HOMME DE SILVER-CANON ?

VOUS NE ME LAISSEZ GUÈRE LE CHOIX

JE REGRETTE LA GROSSIÈRETÉ DE MON PROCÉDÉ MAIS JE N'AVAIS PAS LE CHOIX NON PLUS... POURREZ-VOUS JAMAIS ME PARDONNER ?

18

JE VOUS AVOUE, MA NIÈCE, QUE JE VOUS TROUVE BIEN AVENTURÉE DE RECEVOIR UN AUSSI RUSTIQUE PERSONNAGE SOUS VOTRE TOIT!

LE SEÑOR CARTLAND EST UN HOMME D'HONNEUR.

ET IL VA M'ÊTRE TRÈS UTILE...

CESSEZ DONC DE VOUS INQUIÉTER MA TANTE. TOUT IRA BIEN DÉSORMAIS.

C'EST DÉSAGRÉABLE DE PORTER LES VÊTEMENTS D'UN MORT...

JUMPIN' JEHOSAPHAT !!

ON N'ARRIVE PAS À DORMIR, SEÑOR ?

22

ÇA VOUS ÉTONNE QU'ON SOIT PAS COUCHÉS, CARTLAND? C'EST QU'ON EST TROP FATIGUÉS POUR DORMIR ... CAFÉ ?

MERCI ...

DITES-MOI LUIS, IL Y A BEAUCOUP D'AMATEURS DE VIANDE CRUE BIEN SANGLANTE PARMI VOS HOMMES ?

22

JUSTE MIGUEL, IL SE DONNE DES FORCES QUAND IL VA PASSER LA NUIT AVEC SA FEMME...

JUMPIN' JEHOSAPHAT, COMMENT ELLE SUPPORTE..?!!!

ELLE A PAS DE NEZ LA ROSA !

ET C'EST UN SACRÉ MORCEAU...

TOUT EST BIEN FERMÉ, LUPE ?

QUE LA MAÎTRESSE REPOSE TRANQUILLE.

23

C'EST VRAI QU'ON A PERDU QUELQUES GÉNISSES, MAIS NOUS CONNAISSONS LE VOLEUR... NOTRE SEUL SOUCI, C'EST L'ABSENCE DU MAÎTRE.

C'EST PAS BON POUR UNE FEMME DE RESTER SEULE SI LONGTEMPS. LA MAÎTRESSE A BEAU AVOIR PRIS LES CHOSES EN MAIN, ÇA LUI LAISSE QUAND MÊME DES LONGUES NUITS POUR SE FAIRE DES IDÉES...

SI VOUS VOULEZ LE SAVOIR, ACCOMPAGNEZ-NOUS DEMAIN DANS LES MONTS DU DIABLE! ON PART À CINQ HEURES.

ET C'EST CONTAGIEUX! LA PAUVRE LUPE EN A LA TÊTE À L'ENVERS... DITES, LE MAÎTRE VA BIEN?

JE L'AI À PEINE VU, IL Y A PRESQUE UN AN... QU'ALLEZ-VOUS FAIRE, POUR LE VOLEUR DE BÉTAIL?

?

LE BONJOUR
SEÑOR.

BONJOUR
LUPE. JE
VOUS REMER-
CIE POUR
L'OREILLER

CETTE MAISON
EST MAUDITE
SEÑOR!

PARCE QU'UN
DES VAQUEROS
DIVAGUE
UN PEU ?

C'EST LE DIABLE QUI
L'A RENDU FOU. LE DIA-
BLE QUI DESCEND DES
MONTAGNES POUR TOUR-
MENTER LA MAÎTRESSE!
LE SEÑOR NE RIT PAS
?

NON LUPE.
L'AVEZ-VOUS VU ?

SAINTE
VIERGE
NON!

MAIS J'AI SOUVENT ENTENDU
LA MAÎTRESSE LE SUPPLIER DE
PARTIR; DANS SA CHAMBRE
FERMÉE À CLÉ, LES CLÉS
DANS MA POCHE ET LES
VOLETS BIEN CLOS!

UNE FOIS, DANS LE
NOIR, IL M'A **TOUCHÉE!**
ET IL RIAIT, SEÑOR,
EN M'APPELANT PAR
MON NOM! J'AI
CRU MOURIR
...

27

QUAND JE LUI PARLE LE PADRE HAUSSE LES ÉPAULES. IL DIT QUE LE DIABLE EST PLUS SOUVENT DANS NOS CŒURS QU'AU DEHORS...

IL N'A RIEN VU, LUI, IL NE SAIT PAS!

LUPE, VÍTE!

APPORTE DE L'EAU, DES LINGES, IL FAUT LAVER CETTE HORREUR!!

JE VAIS VOUS DIRE QUELQUE CHOSE QUE PERSONNE NE SAIT. JE L'AI CACHÉ À LA MAÎTRESSE, ELLE SOUFFRE BIEN ASSEZ, HÉLAS...

LA PREUVE QUE C'EST LE DIABLE, C'EST QU'IL CONSUME TOUS LES OBJETS D'ARGENT QUI POURRAIENT LE REPOUSSER!

26

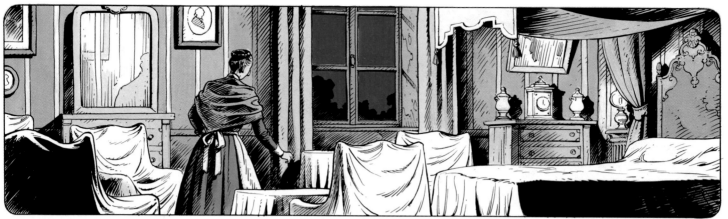

DES CENDRES, ICI?

DES CENDRES À LA PLACE DU CHANDELIER ?!!

SAINTE VIERGE! PROTÉGEZ-NOUS !...

ÇA PUE LA CHAROGNE ICI!
JE N'AI JAMAIS ENTENDU
PARLER D'UN OURS QUI
ENTASSAIT LES
CADAVRES...

29

MERCI AMIGO!

TIENS, C'EST BIEN LA PREMIÈRE FOIS QUE MIGUEL RATE UNE CHASSE...

LA ROSA A EU SA PEAU...

MIGUEL ? IL N'EST PAS VENU HIER SOIR, SEÑOR, ET LE PADRE EST À SANTA ROSA.

DONC IL A DISPARU JUSTE APRÈS AVOIR TENTÉ DE M'INTIMIDER. CURIEUX..

SEÑOR, LA MAÎTRESSE REPOSE !!! ...

QUIEN ES ?

UN DE VOS HOMMES A DISPARU HIER SOIR.

CELA NE JUSTIFIE PAS UNE AUSSI GROSSIÈRE INTRUSION !

MÊME SI VOTRE GALANT ÉCONDUIT SEMBLE EN PORTER LA RESPONSABILITÉ ? VOS JEUX NE M'INTÉRESSENT PAS, MADAME, JE M'EN VAIS.

31

34

ATTENTION SENOR, IL EST FOU !

APPORTEZ-MOI UN SEAU D'EAU.

PERSONNE EN HAUT, MAÎTRESSE !

PAUVRE AMÍ ! APRÈS LE FEU, LA FAIM, LA FOLIE, TU N'AVAIS PAS BESOIN DE TOUT CE SANG...

AOUWOUWOOUUU

VOUS LE SAVEZ CAPABLE DE TOUT, N'EST-CE PAS ?

QUI ?

CELA NE VOUS DÉRANGE PAS QU'ON TERRORISE LUPE, QU'ON ÉPOUVANTE LUNE D'AUTOMNE, QU'ON ÉGORGE VOS CHIENS ? NON ? EH BIEN MOI, SI !

MADRE DE DIOS !

L'ODEUR DE CHAROGNE DE CE MATIN NE VENAIT PAS DE L'OURS...

LA PREUVE, ÇA SENT TOUJOURS AUTANT.

LE REPAÎRE
DU
DIABLE
. . .

KRRIII

ARRÊTEZ DONC DE PARLER COMME DES VIEILLES FEMMES SUPERSTITIEUSES. LE COUPABLE, C'EST NOTRE VOLEUR DE BÉTAIL. ET J'AI MÊME UNE IDÉE DE L'ENDROIT OÙ IL SE CACHE : LA VIEILLE CABANE DES MONTE DIABLO !

AH, VOUS N'ÊTES PAS PARTI! J'AI EU TELLEMENT PEUR...

LE SHERIFF VA ARRIVER!

POURQUOI ??

J'AI DÉCOUVERT UNE CABANE SORDIDE, LE CADAVRE DE MIGUEL, ET ENTRE AUTRES...

CECI..

JE VOUS EN PRIE, IL FAUT QUE PERSONNE NE SACHE.. JE VAIS TOUT VOUS EXPLIQUER. LUPE.. LUPE RETIENDRA LE SHERIFF.

C'ÉTAIT À BARCELONE, NOUS AVIONS QUINZE ANS...

MON PÈRE NOUS A SURPRIS...

39

41

MONSTRE SOIS MAUDIT !!!

MAUDIT !!

MAUDIT !!!

AAAAHH!

QUI A FAIT ÇA, LUIS, UN ANGE?

SILENCE...

FOUILLEZ LES ENVIRONS !!

PLUS TARD, JE NE SAIS PAS QUAND, MA MÈRE,, ENFIN, QUELQU'UN A BRISÉ UN CARREAU POUR SIMULER UNE AGRESSION.

PERSONNE N'A DOUTÉ QUE MON PÈRE ÉTAIT MORT EN ME DÉFENDANT.

ON M'A MISE AU COUVENT... MAIS QUAND LE LOINTAIN COUSIN MANUEL EST VENU VISITER L'ESPAGNE, MES ONCLES LUI ONT PROPOSÉ MA MAIN.

C'ÉTAIT BEAUCOUP MIEUX DE ME MARIER, N'EST-CE PAS, ET LOIN, DE PRÉFÉRENCE. MON CONFESSEUR M'A PARLÉ D'OBÉISSANCE, DE SACRIFICE, DE RÉDEMPTION....

LA LETTRE QUE J'AI BRÛLÉE VENAIT DE LUI. J'AI CÉDÉ POUR QUE MA MÈRE CONSENTE À RETIRER GUILLEN DE CHEZ LES FOUS, ET LA PARENTE PAUVRE A ÉTÉ COMMISE À MA SURVEILLANCE. COMME DUÈGNE, ON NE FAIT PAS MIEUX QUE TANTE INÉS...

JE SAIS MAINTENANT QUE MANUEL EST ALLÉ À SAINT LOUIS POUR Y RECEVOIR, D'UN MESSAGER SANS DOUTE, LA RÉPONSE AUX QUESTIONS QU'IL SE POSAIT SUR MOI...

...IL VOULAIT TELLEMENT ME COMPRENDRE...

MANUEL A DÛ MOURIR EN ME HAÏSSANT!

VOTRE ÉPOUX VOUS AIMAIT, DONA VIOLANTE.

41

43

VOUS CROYEZ?

GUILLEN ME HARCÈLE DEPUIS DES MOIS. SEULE LA PEUR DE MANUEL POUVAIT LE TENIR À DISTANCE... OH, JONATHAN, IL FAUT QU'IL MEU-RE. DÉLIVREZ-MOI !!!

QUÉRIDA, MON COEUR SAIGNE DE T'EN-TENDRE.

TU FERAIS MIEUX DE FUIR, LE SHERIFF SERA LÀ D'UN MOMENT À L'AUTRE.

ET ALORS?

LAISSEZ-LA !

AAAH NON... DANS LES HISTOIRES MORALES, LES TRAÎTRES SONT TOUJOURS PUNIS.

PERSONNE, LUIS! QU'EST-CE QU'ON FAIT DE MIGUEL ?

ON NE TOUCHE À RIEN. LA MAÎTRESSE DÉCIDERA.

42

TU ES COMPLÈTE-MENT FOU !

À QUI LA FAUTE, MIA VIDA ? ALLEZ OUVRE CETTE PORTE.

SI TON GARÇON DE FERME BOUGE, S'IL OUVRE LA BOUCHE, JE TIRE.

VIENS MA DOUCE, JE T'ÉPOUSE...

NNHNN.

MAIS QU'EST-CE QU'IL Y A, TU NE VEUX PLUS JOUER ?

TON YANKEE TE CARESSE MIEUX QUE MOI ?

TAIS-TOI !

AHHH... IL PARAÎT QUE LA JEUNE DAME N'AIME PLUS ÇA.

POURTANT, C'EST UNE FEMME SANS RETENUE, TU AS REMARQUÉ?... HÉ, LE GARÇON DE FERME, JE TE PARLE !

LÂCHEZ-LA TOUT DE SUITE !!

PAW

Tiiouuu

TCHAK

AARRH!!

46

PAW

TIREZ, MAIS TIREZ DONC !!

LUPE, JE VEUX UN CHÂLE ET MES GANTS, MON BUGGY ATTELÉ, VITE !!

C'ÉTAIT GUILLEN ?... RÉPONDEZ VIOLANTE !

AH, MA TANTE, QUAND LE SHERIFF ARRIVERA, DITES-LUI QU'IL S'AGIS-SAIT D'UNE ERREUR ET PRÉSENTEZ-LUI MES EXCUSES.

LE SHE-RIFF NE VIENDRA PAS.

QUE DITES-VOUS ?

CHACUN SES MENSON-GES, DOÑA VIOLANTE.

TU ME CONNAIS, PAROLE D'HONNEUR, J'AURAIS PRÉFÉRÉ MONTER LA GARDE À LA CABANE AVEC LES AUTRES !

LAISSE TON HONNEUR TRANQUILLE, ROBERTO, ET PENSE COMME ÇA VA ÊTRE BON DE DORMIR ...

46

48

SEÑOR CARTLAND, POURQUOI ÊTES VOUS SI SÛR QUE GUILLEN VA VERS L'OCÉAN ?

IL PERD BEAUCOUP DE SANG.

LUIS, J'AI PEUR...

DES CHEVAUX FRAIS, VITE !

DESCEND-MOI SI TU VEUX, MAIS JE NE BOUGE PAS D'ICI SANS UN QUART DE CAFÉ BOUILLANT !

SEÑOR CARTLAND, CROYEZ-VOUS QUE GUILLEN SOUFFRE BEAUCOUP ?

JE NE SAIS PAS ....

47

VIOLANTE, OÙ ES-TU ?

ON VA CREVER LES CHEVAUX !!!

PLUS VITE!!!

HHiiHHiii

C'EST LE SORCIER QU'ON VA CREVER !

49

51

GUILLEN!!

TU ES VENUE FINIR LE TRAVAIL QUERIDA ?

TU N'ES PAS BELLE QUAND TU PLEURES.

¡IDIOT! TU T'ES REGARDÉ ?

TU VIENS AVEC MOI, MA DOUCE ?

51

IL FAUDRAIT QUE TU ARRÊTES DE TREMBLER...

PAW

52

AH, MON FILS, QUE DE TERRIBLES NOUVELLES! À SANTA ROSA, LE SHÉRIFF CONFIRME LE DÉCÈS DE DON MANUEL. JE RENCONTRE LE TÉLÉGRAPHISTE...

... QUI ME DIT QU'UNE BATAILLE S'EST ENGAGÉE DANS UN VILLAGE DE PENNSYLVANIE, ENTRE NOS TROUPES ET LES REBELLES. CELA S'APPELLE GETTYSBURG, JE CROIS... .. ET ICI CET ACCIDENT AVEC LE FRÈRE PERDU DE DOÑA VIOLANTE!

ASSISTEREZ-VOUS AUX OBSÈQUES?

NON PADRE, JE M'EN VAIS

LUNE D'AUTOMNE EST À VOUS SEÑOR !

HI HI HIII

MAIS, JE NE PEUX PAS...

CE N'EST PAS UN CADEAU, IL A LE DIABLE AU CORPS !

ON VOUS ATTEND AU SALON, SEÑOR.

BLANC DUMONT '94
55

57

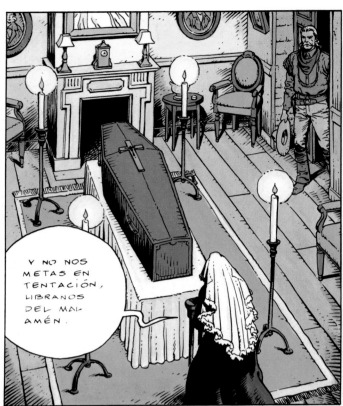

Y NO NOS METAS EN TENTACIÓN, LIBRANOS DEL MAL-AMÉN.

PARDON DE VOUS DÉRANGER, DOÑA INÈS. JE VIENS VOUS DIRE AU-REVOIR...

AU REVOIR SEÑOR ET MERCI !

ATTENDEZ!

POURQUOI NE M'A-T-IL PAS EMMENÉE AVEC LUI ?... JE L'AIMAIS, MÊME SI C'ÉTAIT MAL !

QUE VAIS-JE FAIRE MAINTE-NANT ?

56

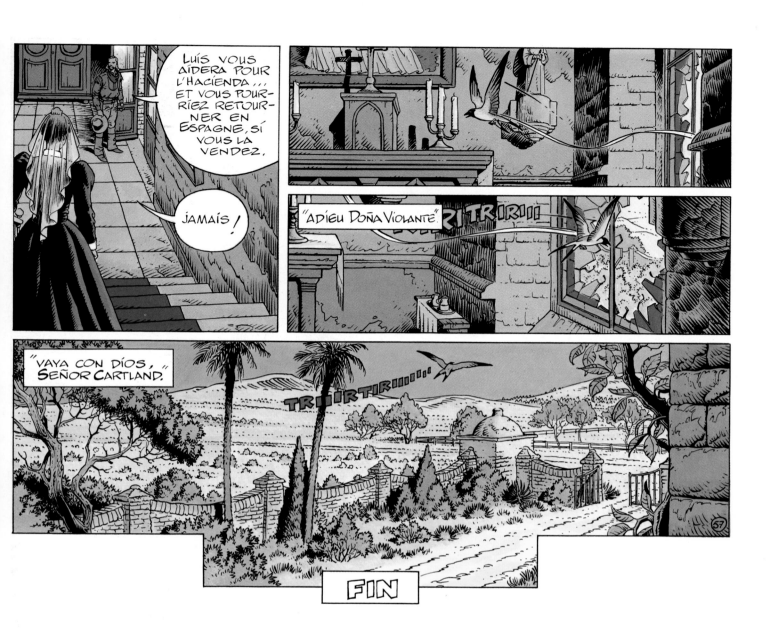

LUIS VOUS AIDERA POUR L'HACIENDA... ET VOUS POURRIEZ RETOURNER EN ESPAGNE, SI VOUS LA VENDEZ.

JAMAIS !

"ADIEU DOÑA VIOLANTE."

"VAYA CON DIOS," SEÑOR CARTLAND.

FIN

TEXTES: LAURENCE HARLÉ – DESSINS: MICHEL BLANC-DUMONT – COULEURS: CLAUDINE BLANC-DUMONT

« A la mémoire de notre ami Daniel BUJEAUD... »

© **DARGAUD ÉDITEUR 1995**

Tous droits de traduction, de reproduction et d'adaptation strictement
réservés pour tous pays.

Dépôt légal Janvier 1995
ISBN 2-205-04286-6
ISSN 0336-2841

Imprimé en France en Décembre 1994 par CLERC S.A. - 18200 Saint-Amand-Montrond
Printed in France